DRAMACON

Creado por
Svetlana Chmakova

EDICIONES B
GRUPO ZETA

Barcelona • Bogotá • Buenos Aires • Caracas • Madrid • México D. F.
Montevideo • Quito • Santiago de Chile

Dramacon Vol. 1
Creado por Svetlana Chmakova

TOKYOPOP®

EDICIONES B
GRUPO ZETA Z

© 2005 Svetlana Chmakova and TOKYOPOP Inc.
www.TOKYOPOP.com
© 2007 Ediciones B, S.A. - Bailén, 84 - 08009 Barcelona - 1.ª edición: marzo 2007
Impreso en España - Printed in Spain.
ISBN 13: 978-84-666-3099-3 - Depósito legal: B. 2.319-2007
Imprime: Novoprint

DEBERÍAS DISFRAZARTE TÚ TAMBIÉN, SEGURO QUE BAJO ESA CAMISETA HAY UN PECHO MUY ATRACTIVO...

BUENO, NO ES POR PRESUMIR, PERO SÍ, JE, JE.

Aguantándome para no montarla.

¿Y QUIÉN ES LA CHICA QUE ESTÁ A TU LADO? ¿TU HERMANA?

NO, BUENO... ES MI GUIONISTA... Y MI NOVIA...

Recurriendo a la poca paciencia que me queda.

¿AH, SÍ? ¡QUÉ MALA SUERTE!

NOS VEMOS, TÍO BUENO.

?!

¡ZORRA!

¡AYYY! ¡ME ENCANTA ESTE SALON!

¡UPPS!

SIENTO HABER DADO EL ESPECTÁCULO.

HA SIDO UN DÍA MUY LARGO.

¿ES TU PRIMER SALÓN?

GRACIAS.

SÍ, ¿TANTO SE NOTA?

NO TE OFENDAS, PERO SE TE NOTA UN *MONTÓN*.

INTENTA NO OFENDERSE.

YA VEO...

NOVATA

TÚ YA HAS ESTADO EN ALGUNO ANTES, ¿NO?

EN UNOS CUANTOS. ¿POR QUÉ LLORABAS?

Qué directo.

UMMM...

UMMM?

DIBUJANTE

OBRA CONJUNTA

GUIONISTA

NUESTRO PRIMER FANZINE

TERRORÍFICO SALÓN

¡TE VOY A COMER!!

NOOOOO

COMPAÑEROS CHALADOS

COSPLAYER IMBÉCIL LIGANDO

NOVIO ATONTADO

ÚLTIMAMENTE SIEMPRE ESTÁ IGUAL.

QUIZÁS SEA YO. A LO MEJOR ES QUE SOY DEMASIADO POSESIVA.

...?

ESPERO NO HABERTE ABURRIDO...

EEEK!

SI TE QUIERE...

NO DEBERÍA HACER COSAS QUE TE DUELAN.

15

¿Y QUÉ MÁS?

SÉ MUY CLARA CON LO QUE QUIERES Y CON LO QUE NO QUIERES.

O LA GENTE TE UTILIZARÁ Y TE MANIPULARÁ.

...NI-PU-LA-RÁ.

SCRIBBLE
SCRIBBLE

¡YA ESTÁ!

¿ASÍ DE SENCILLO?

¿LO HAS ESCRITO?

¡PUES CLARO! ¡ESTO ES ORO! ¡JUSTO LO QUE TENGO QUE DECIRLE A ESE IMBÉCIL!

UN MOMENTO.

Y SI...

Y SI PIENSA QUE SOY IDIOTA... Y SI...

CORTA CONMIGO...

DEPRE

¿SERÍA ESO TAN MALO?

(AY)
NO ME DIGAS QUE ES EL PRIMERO...

BUENO...

MEJOR QUE HAGA LAS PACES.

ES QUE, YO LE QUIERO, Y EL A MÍ TAMBIÉN... (CREO)

¡¡¡ENCIMA ES TELÉPATA!!!

¡¡¡PUES CLARO QUE NO!!!

¡NO SÉ DE QUÉ ME HABLAS!

BUSCANDO UN LUGAR DONDE ESCONDERSE.

CREO QUE ESO ES UN "PUES SÍ". NO TE PREOCUPES, NO SE LO DIRÉ A NADIE.

¿Y POR QUÉ NO BORRAS ESA ESTÚPIDA SONRISA DE TU CARA, EH?

SMACK

Guau, es como...

HEH HEH

...si nos conociéramos de toda la vida.

IMAGÍNATELO EN CALZONCILLOS, A LO MEJOR ESO TE AYUDA.

EY, YA LO HE VISTO EN ROPA INTERIOR Y NO SIRVE.

MMM... ¿Y EN BIKINI?

BWAH HA HA HA

VALE, VALE, LO QUE TÚ QUIERES ES ASUSTARME DEL TODO.

CENSURADO

CENSURADO

¡NIÑOS, NO MIRÉIS! DEMASIADO PELUDO PARA UN BIKINI.

JE, JE.

OYE, ¿Y POR QUÉ LLEVAS GAFAS DE SOL AQUÍ DENTRO?

¿NO TE CUESTA MÁS VERLO TODO?

......?

....

La mano de Derek...

...nunca ha sido tan cálida.

¿DEBERÍA PREOCUPARME?

BRRR, DE PRONTO TENGO ESCALO-FRÍOS.

AHÍ ESTÁ LA ISLA DE FANZINES.

¿SABES CUÁL ES TU STAND?

SÍ, ESTÁ ALLÍ.

VALE. NOS VEMOS.

..........!

UMM, ¡GRACIAS!

YA QUE VAS DE COMPRAS...

WRING WRING

PÍLLAME UN POCO DE PACIENCIA, ¿VALE?

STOMP STOMP

STOP...

....

BUENO... ESPERARÉ HASTA QUE SE VAYA LA CHICA...

SLINK SLINK

¿COBARDE? ¡NI HABLAR!

El peor día de mi vida.

EI PEOR.

....

VAYA FORMA DE DEJARLE LAS COSAS CLARAS AL IMBÉCIL.

ACK!

HOLA, VECINA.

EEEK!

SLAM!

¡QUÉ RÁPIDO!

NOS VAMOS.

¿YA? PERO SI NO SON NI...

SÍ, AHORA.

ME MUERO DE HAMBRE, Y BRETT HA DICHO QUE NOS INVITA A HAMBURGUESAS.

¿SABES ESO QUE DICEN SIEMPRE DE QUE LIDA ES TAN AMABLE Y ENCANTADORA?

SÍ...

DEREK, ¿HA PASADO ALGO EN EL TALLER DE MANGA?

PUES, NO.

ES UNA ZORRA PRESUNTUOSA.

....

...¿LE HAS ENSEÑADO NUESTRO FANZINE?

≥BUF≤
SÍ.

HA DICHO QUE ERA UNA ASCO, QUE DEBERÍAMOS VOLVER AL INSTI.

PERO SI AÚN ESTAMOS EN EL INSTI.

SLAM

¡UY!

AUNQUE DIGAMOS QUE PODRÍAS AÑADIR UN POCO DE SEXO A TUS GUIONES.

¡ESO!

NO, NO PODRÍA...

SÍ, ¡ME ENCANTARÍA DIBUJARLO!

CONFÍA EN MÍ, SI LO HACES SERÁ UN ÉXITO.

SI NO PUEDE NI DECIR "SEXO" EN PÚBLICO, IMAGÍNATE LO DE ESCRIBIR.

¡NO... NO ES ESE TIPO DE HISTORIA!

HEY, HABLANDO DE HISTORIAS...

¿SABES ALGUNA, CIELO? VENGA, CUENTA, CUENTA...

AGÁRRENSE FUERTE, DAMAS Y CABALLEROS. ÉSTA SÍ QUE ES JUGOSA...

OH, OH.

ESTO... NO PUEDE ACABAR BIEN.

...PORQUE LA ÚLTIMA REMESA DE CARNE ERA DELICIOSA.

¿VOLVÍAN A POR MÁS?

¡GUAU!

MUNCH

MUNCH

MUNCH

. . . . . . !!!

¡SERÁN FRIKIS! ¡ESTOY RODEADA DE FRIKIS!

. . . .

¿NO TE LA VAS A TERMINAR?

TOMA.

BUENO...

¿QUÉ PLAN HAY PARA ESTA NOCHE?

JE, JE.

MMMMM, TENTÁCULOS...

¿EIN?

¿EH, PEQUEÑA?

¿HAS VISTO MIS...

WIGGLE

WIGGLE

WIGGLE

WIGGLE

¡¡ME DAIS MIEDO!!

JA, JA. PERDONA, CHRISS, ES TAN DIVERTIDO ASUSTARTE.

EL PLAN ES IR A UNA DE LAS SALAS DE PROYECCIONES A VER HENTAI.

¿QUÉ ES HENTAI?

¡ANDA YA! ¿NO LO SABES? HENTAI ES ANIME PORNO.

COLEGIALAS ATACADAS POR MONSTRUOS CON TENTÁCULOS... Y TODO ESO.

CENSURADO

CENSURADO

CENSURADO

URADO

VENGA, VÁMONOS...

SÍ, ASÍ PILLAMOS UN BUEN SITIO, JE, JE.

YO NO QUIERO VER VIOLACIONES DE ADOLESCENTES.

PANIC PANIC

VENGA, TÍA.

NENGA, CHRISS!

¿QUÉ TE PASA?

LA VERDAD...

BUENO.

SLAP!

QUÉ PENA QUE NO VENGAS CON NOSOTROS.

TOMA LA LLAVE DEL HOTEL.

TÚ DUERME. INTENTAREMOS NO HACER RUIDO CUANDO VOLVAMOS.

HASTA MAÑANA

QUE TE MEJORES, ¿VALE?

HUM, VALE.

PLOM

GRACI...

......!!!

¡OTRA VEZ TÚ!

EL FINAL PERFECTO PARA UN DÍA PERFECTO.

DE NADA.

REFUNFUÑO

¡Y NO ME SIGAS!

OH, MIERDA.

NO SEAS TAN CREÍDA.

YO TAMBIÉN ME ALOJO AQUÍ.

FSSS

...! ¡ESPERA!

¡SUJETA LA PUERTA, POR FAVOR!

SÍ, ESO, SUJÉTALA.

WOOT!

...EEH?

WHEE!

STOMP

STOMP

STOMP

STOMP

?

...Y EL COSPLAY.

APARTE DE ESO, NO. NO ME GUSTA MUCHO LA GENTE.

¿AH, SÍ?

PUES LO DISIMULAS MUY BIEN.

-*RISA*-

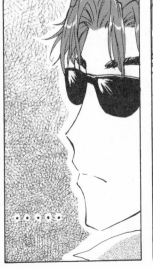

?

TÚ ERES DOS PERSONAS A LA VEZ

A VECES ERES TÍMIDA Y SUMISA, Y AL INSTANTE TE VUELVES FEROZ Y SARCÁSTICA.

ES FÁCIL DEJAR A ALGUIEN...

...PORQUE NO ES PERFECTO. YO PREFIERO SEGUIR A SU LADO Y ASÍ AYUDARLE A CAMBIAR.

MUY VALIENTE DE TU PARTE.

TAP

PERO ES IMPOSIBLE HACER QUE LA GENTE CAMBIE.

SI LE DEJAS SALIRSE SIEMPRE CON LA SUYA, IRÁ A PEOR.

. . . . . .

¿Y COMO SABES TODO ESTO?

LA VERDAD ES QUE SUENA LÓGICO...

PSICOLOGÍA DE PRIMERO.

¿ESTÁS EN LA UNIVERSIDAD?

ESTOY EN EL INSTITUTO...

SE SIENTE UNA CRÍA.

HE ACABADO PRIMERO, ¿Y TÚ?

PERO BRETT SE HA PUESTO **MALÍSIMO**...

TIENE QUE TUMBARSE.

...EJEM...

PERO, ¿CÓMO SABÍAIS...

NO TE PREOCUPES POR ESO, ¿NECESITAS AYUDA?

MUCHAS GRACIAS, PERO NO HACE FALTA.

SOLO NECESITA SU MEDICINA Y UNA BUENA NOCHE DE SUEÑO.

...

...ASÍ QUE HAS VUELTO PARA VER COMO ME ENCONTRABA, ¿NO?

BUENO, TÍA, ES QUE CASI NO TENEMOS TIEMPO DE ESTAR SOLOS.

¡HABÍA QUE APROVECHARLO!

TORTA ATÓMICA DE NOVIA SUPERCABREADA.

K.O!

SLAP

¿ERES CHRISTINE LEROUX?

¿EH?

STAFF

¿QUIERO SERLO?

SÍ...

¡HECHO!

DIG DIG

ESTO ES PARA TI.

¡QUE VENDAS MUCHO!

Y SI NECESITÁIS ALGO, PASAD POR LA OFICINA DE ORGANIZACIÓN, ¿VALE?

¡CHAO!

¿EIN?

Para Christine Leroux

De: Lida Zeff

HORROR

FUMBLE
FUMBLE

NOS VEMOS LUEGO, TÍOS.

SE ESCONDE

SIENTA

HUMM...
SOLO QUERÍA DECIRTE QUE A LA UNA...

...ME IRÉ A DAR UNA VUELTA POR EL SALON.

VALE, MUY BIEN.

SÉ FUERTE, SÉ FUERTE... MATT TIENE RAZÓN, NO PUEDO DEJAR QUE SIEMPRE SE SALGA CON LA SUYA.

ESTÁ MÁS QUE CABREADO.

12:35 h. Área comercial.

AÚN FALTA.

YA QUE ESTOY AQUÍ, LE ECHO UN VISTAZO.

Plano y bolsa para regalos: listos

ESTA VEZ VIENE PREPARADA.

Móvil para emergencias y porque queda guay: listo.

Cara de novata: ohhh, calla.

Eso no ha sido el sonido de mi corazón al romperse.

NO me he enamorado de un chico al que no hace ni medio día que conozco.

....

SEGURO QUE ES...

...SU HERMANA O ALGO ASÍ. SIEMPRE HAY UNA HERMANA O ALGO.

¿TE HA ATONTADO TANTO SHOJO O QUÉ?

¿NO HAS VISTO QUE SE LE PEGABA COMO UNA LAPA?

A LO MEJOR ESTÁN MUY UNIDOS...

¿QUÉ MÁS DA?

NO TENÍA LA MENOR OPORTUNIDAD, NO SÉ CÓMO SE ME HA OCURRIDO.

÷SUSPIRO÷

¡MALDITA SEA!

88

BUEN INTENTO

ARRUGA

NI SIQUIERA SE PARECE A SU LETRA.

TOSS

....!

¡LARGO DE AQUÍ, MOCOSA!

¡ESA CARTA ERA AUTÉNTICA! ¡ERA DE LIDA!

SÍ, Y TAMBIÉN TE PROMETIÓ UN MILLÓN DE DÓLARES. EN TUS SUEÑOS, NIÑATA.

¡DECÍA QUE QUERÍA VERME!

...LA PARTE DE LA TAZA DE CAFÉ.

SÍ, SÍ. ESA ESCENA ES INCREÍBLE.

¿UN ASCO? ¿CUÁNDO HE DICHO YO ESO?

DEREK ME DIJO QUE...

...NO TE HABÍA GUSTADO MUCHO.

ENTONCES...

¿NUESTRO FANZINE NO TE PARECE UN ASCO?

NOS RECOMENDASTE QUE VOLVIÉRAMOS AL INSTI.

¡GLUPS!

¿ESO TE CONTÓ?

HACÍA MUCHO QUE NO VENÍA UNO DE ÉSTOS...

BUENO, AL MENOS ÉSTE NO HA DICHO QUE LE HE TIRADO SU OBRA DE ARTE A LA BASURA...

SÍ, SÍ... ME ACUERDO DE ÉSE. ¿Y AL FINAL LA CHICA LO PUDO RECUPERAR?

NO.

TAP

LO QUE LE DIJE ES QUE EL DIBUJO ME PARECE AÚN BASTANTE POBRE Y QUE PODÍA MEJORARSE. LE SUGERÍ QUE TOMASE CLASES DE DIBUJO PORQUE...

BUENO, PORQUE LAS NECESITA.

A MÍ SIEMPRE ME HA PARECIDO MUY BUENO.

BUENO, LO ES. MUCHO MÁS QUE LOS DEMÁS.

SU TRABAJO ES MUY PROMETEDOR, ASÍ SE LO DIJE.

? MÁS... ESCENAS... CAFÉ...

SCRIBBLE SCRIBBLE

¿LO ESTÁS ESCRI-BIENDO?

NO QUIERO QUE SE ME OLVIDE. ¿QUÉ MAS?

. . . . . !

¡TE QUIERO!

LUNGE

DISCÚLPAME MIENTRAS DISFRUTO DE ESTE MOMENTO.

JE.

¡UF!

Es Derek..

NO PIENSO COGERLO.

TENGO QUE IRME.

SHOVE

MUCHÍSIMAS GRACIAS POR TODO.

¡UN MOMENTO!

WA

¿ME LO FIRMAS?

TIENES FUTURO, CHICA. CUANDO SEAS FAMOSA, PRESUMIRÉ DE HABERTE CONOCIDO.

. . . . . .

!!

THUD

...pero merecen mucho la pena.

¡GUAU! ¡UN FUERTE APLAUSO PARA ESTOS CHICOS!

Plas

Plas

EL SIGUIENTE PARTICIPANTE ES: ¡SEXY JOE!

VIVA BISHI

PARA MI ACTUACION ME QUITARE LOS PANTALONES.

¡¡NO!!

SÍ, SÍ, ¡LO HARÁ!

¡NENGA! ¡QUÍTATE TODO!

¡EH! ME PARECE QUE VA A ECHAR A ALGUIEN...

APPLAUSE!

EEK!

SECURITY!!!

WOOO°!!

EMERGENCIA, REPITO, TENEMOS UNA EMERGENCIA.

STAFF

STAFF

STA

SHTA

SHTA

Este sitio se te mete en la piel.

JE, JE

108

· · · ·

¿Qué está pasando?

Me escondo de mi propio novio en el baño... Deseo que nuestros amigos vuelvan pronto para no quedarme a solas con él.

No soporto que me toque.

SQUEEEEK

¿CUÁNTAS TE HAS TOMADO?

NO SÉ...
¿CUÁNTO RATO HAS ESTADO EN LA DUCHA? SI HASTA HAS CERRADO LA PUERTA...

LO SABÍA.

HAS INTENTADO ENTRAR, ¿VERDAD?

....

...SOLO QUERÍA MEAR.

-¡AY-

......

DEREK, QUIERO QUE LO DEJEMOS.

3ER PISO
306
CLICK
...LA MÁQUINA DEL HIELO. ¿ESTÁ EN EL PISO DE ARRIBA O EN EL DE ABAJO?

!

HUM...
PERDONA QUE
TE MOLESTE...

ES QUE... NO SABÍA ADÓNDE IR...

De nuevo, no necesité más palabras.

Simplemente... comprendió.

Me abrazó mientras yo estaba ahí temblando.

Era como estar en casa.

HEY, DORMILONA.

?

¡OH! ¿DONDE...?

SE HAN IDO A DESAYUNAR, VOLVERÁN ENSEGUIDA.

¿COMO TE ENCUENTRAS?

...

COMO SI LO DE AYER HUBIERA SIDO SOLO UNA MALDITA PESADILLA.

ME ALEGRO.

¿QUEDAMOS EN EL COCHE A LAS SEIS?

SÍ, AHÍ NOS VEMOS.

Y además...

...tan feliz.

Dios, ojalá este día no acabase nunca.

ME... ALEGRO MUCHO DE HABERTE CONOCIDO.

GRACIAS.

POR TODO.

No voy a llorar, no voy a llorar...

...y así es como se te rompe el corazón en mil pedacitos.

Ya me lo sé de memoria.

¿QUÉ? ¿NOS VAMOS?

Sí.

Vámonos.

?

EN EL PRÓXIMO NÚMERO DE...

Svetlana Chmakova's

DRAMACON

Un año más tarde, Christie es un año mayor y un año más sabia. De vuelta en el Salón del Manga de Lakeside, pero con nuevos autores invitados y con más y mejores actividades, Christie se muere por volver a ver a Matt. Por desgracia, parece ser que Matt ha venido al Salón con alguien más: una nueva amiga. Luchando contra sus sentimientos mutuos, que son más fuertes que nunca a pesar de la distancia, Matt y Christie hacen lo que pueden para que su relación no sea demasiado complicada ni caótica. Pero no hay nada más caótico que un Salón del Manga, y lo que dicta la razón no es siempre lo mejor para el alma. ¡Léelo en DRAMACON Vol. 2!

Svetlana Chmakova's

DRAMACON

¡HOLA A TODOS! VUESTRA EDITORA FAVORITA VIENE AQUÍ A MOSTRAROS COMO SVET NOS DEJA A TODOS EN RIDÍCULO CON SU PROFESIONALIDAD. ESTA ES UNA DE MIS PÁGINAS PREFERIDAS, ASÍ QUE HE PENSADO ENSEÑAROS EL PROCESO DESDE EL BOCETO HASTA LA PÁGINA ACABADA.

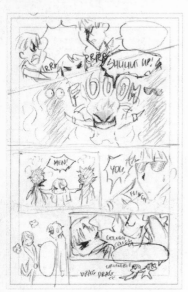

ESBOZO:

CUALQUIERA EN LA EDITORIAL PUEDE ASEGURAR QUE, DADA LA SITUACIÓN, SUELO ALARDEAR DE QUE EL TRABAJO DE SVET ME HACE DESTERNILLARME (O LLORAR), INCLUSO CON LOS BOCADILLOS VACÍOS. ESTA PÁGINA DEL CAPÍTULO TRES ES UN MAGNÍFICO EJEMPLO. EN ESTE MANGA NOS ENCONTRAMOS UN MONTÓN DE SITUACIONES CÓMICAS, PERO LA COMBUSTIÓN ESPONTÁNEA DE CHRISTIE (Y LA REACCIÓN DE DEREK QUEMÁNDOSE) ME HIZO PARTIRME DE RISA. INCLUSO EN UN BOCETO MUY BÁSICO LA AUTORA TIENE UN PERFECTO DOMINIO AL MOSTRARNOS LA SITUACIÓN CON TODA SU ENERGÍA Y POTENCIA.

LÁPICES:

LA DISTRIBUCIÓN DE LAS VIÑETAS Y LA SITUACIÓN DE LOS PERSONAJES QUEDA ESTABLECIDA EN EL BOCETO. EN ESTA FASE, EL LÁPIZ LIMPIA LÍNEAS Y DETALLA MUCHO MÁS EL DIBUJO. NO OS CREÁIS QUE ESTO ES TAN FÁCIL, Y SI HAY ALGO EN LA IMAGEN QUE PARECE TORCIDO (COMO LA PERSPECTIVA O ALGUNA PARTE DE LA ANATOMÍA), ES EL MOMENTO EN QUE EL EDITOR SE LO HACE NOTAR AL ARTISTA PARA QUE LO CORRIJA AHORA, ANTES DE QUE AVANCE EL PROCESO.

¡SVETLANA DIBUJA UN MANGA!

TINTA:

A VECES EL ENTINTADO NO ES UN ARTE MUY APRECIADO POR LOS LECTORES. PERO EN EL MANGA, QUE SUELE SER EN BLANCO Y NEGRO, UN BUEN ENTINTADO AÑADE UNA GRAN DOSIS DE VOLUMEN Y PROFUNDIDAD A LA PÁGINA. ME ENCANTAN LOS DIBUJOS MUY CONTRASTADOS, ASÍ QUE DISFRUTO UN MONTÓN CUANDO SVET PONE GRANDES MASAS DE NEGRO. ESTÁ MUY BIEN VER CÓMO VA QUEDANDO TODO TAN PERFECTO Y DRAMÁTICO.

GRISES:

EN ÚLTIMO LUGAR SE PONEN LOS GRISES, QUE LE DAN A LA PÁGINA SU ASPECTO FINAL. CREAN SENSACIÓN DE COLOR, Y, LO MÁS IMPORTANTE, TEXTURAS. LOS EFECTOS EMOCIONALES COMO LOS RAYOS, Y LAS CHISPITAS SHOJO, SE HACEN EN ESTA FASE. BASTANTE ACERTADO, ¿EH? LO MEJOR DE SER UN EDITOR ES QUE EN VEZ DE TENER QUE APRENDER A DIBUJAR, VES A OTRA GENTE HACERLO PARA TI, ¡Y ADEMÁS HACERLO BIEN!

¡HASTA PRONTO!

-LDP

(¡NOS VEMOS EN EL SEGUNDO VOLUMEN!)

Svetlana Chmakova

Svetlana nació y creció en Rusia, y se mudó a Canadá a la tierna edad de dieciséis años. Estudió en el Sheridan College, donde acabaron dándole un título de animación tradicional (sí, sí, a ella no le extrañaría que se dieran cuenta de su error y se lo reclamasen en cualquier momento). Svet trabaja como autónoma, realizando tareas que normalmente no tienen nada que ver con la animación. ¡Ups! Sospecha que eso tiene algo que ver con el hecho de que los cómics ahora se hayan apoderado de su alma. Svetlama ha ilustrado libros sobre cómo dibujar manga, manuales para juegos de rol, diseños de juguetes, animación, cubiertas de libros y otras ilustraciones. Actualmente está realizando dos mangas online: Chasing Rainbows y Night Silver. Sus aficiones favoritas son dormir, leer más tebeos de lo que es bueno para su bolsillo, y pelearse con su gato para apoderarse del sofá. Para saber más sobre ella, entrad en su web www.svetlania.com (si la visitáis saludadla de mi parte).